獻給所有的孩子 —— 康娜莉雅‧史貝蔓

獻給安德森家的孩子我的愛和祝福，尤其是瑞奇和伊塔莫 —— 凱西‧帕金森

我·的·感·覺

我好害怕

文 康娜莉雅·史貝蔓　圖 凱西·帕金森　譯 黃維明

親子天下
Education · Parenting
Family Lifestyle

有ㄧㄡˇ時ㄕˊ候ㄏㄡˋ我ㄨㄛˇ好ㄏㄠˇ害ㄏㄞˋ怕ㄆㄚˋ。

突然出現很大的聲音、做惡夢，

或_{ㄏㄨㄛˋ}是_{ㄕˋ}媽_{ㄇㄚ}媽_{ㄇㄚ}離_{ㄌㄧˊ}開_{ㄎㄞ}的_{ㄉㄜ}時_{ㄕˊ}候_{ㄏㄡˋ}，我_{ㄨㄛˇ}都_{ㄉㄡ}會_{ㄏㄨㄟˋ}好_{ㄏㄠˇ}害_{ㄏㄞˋ}怕_{ㄆㄚˋ}。

覺得自己可能會受傷的時候，我好害怕。

有時候不知道為什麼，
我就是會害怕。

害怕是一種冷冷的、緊緊的感覺。

害怕的時候，
我會哭。

很想跑開
或躲起來。

想要有人
抱抱我。

希望害怕的感覺
趕快消失！

每個人都有害怕的時候。

不只是小孩，大人也一樣。

害怕的時候，我可以做些事

讓自己覺得好過一些。

我可以告訴別人我好害怕。

我可以請媽媽抱抱我，告訴她
讓我害怕的事，這樣就會覺得好多了。

我可以抱自己的小毛毯或小布偶，
靠在媽媽懷裡，

或是找個舒服的地方，
或是看我最喜歡的書。

有時候害怕反而
可以保護我。

我最好離
凶巴巴的狗遠一點。

我ˇ不ㄅㄨˋ該ㄍㄞ爬ㄆㄚˊ得ㄉㄜˊ太ㄊㄞˋ高ㄍㄠ、 在ㄗㄞˋ車ㄔㄜ子ㄗ旁ㄆㄤˊ邊ㄅㄧㄢ玩ㄨㄢˊ，
或ㄏㄨㄛˋ是ㄕˋ靠ㄎㄠˋ近ㄐㄧㄣˋ火ㄏㄨㄛˇ。

有ㄧㄡˇ時ㄕˊ候ㄏㄡˋ， 其ㄑㄧˊ實ㄕˊ我ㄨㄛˇ不ㄅㄨˋ必ㄅㄧˋ害ㄏㄞˋ怕ㄆㄚˋ。
我ㄨㄛˇ們ㄇㄣ˙可ㄎㄜˇ以ㄧˇ看ㄎㄢˋ看ㄎㄢˋ床ㄔㄨㄤˊ下ㄒㄧㄚˋ有ㄧㄡˇ什ㄕㄣˊ麼ㄇㄜ˙東ㄉㄨㄥ西ㄒㄧ。

學著了解黑夜也很美麗。

或是在主人同意後，摸摸友善的小狗。

我ㄨㄛˇ知ㄓ道ㄉㄠˋ媽ㄇㄚ媽ㄇㄚ離ㄌㄧˊ開ㄎㄞ後ㄏㄡˋ還ㄏㄞˊ會ㄏㄨㄟˋ再ㄗㄞˋ回ㄏㄨㄟˊ來ㄌㄞˊ。

害怕的時候，
我可以找人
說說這件事、

要人抱抱我，

也可以抱著
我的小毛毯
或小布偶，

或是找個舒服的地方。

我發現有些東西一點都不可怕。

害怕的時候，我知道該怎麼做！

Sometimes I feel scared.

I feel scared when there's a big, loud noise
or when I have a bad dream

or when my mother goes away.

When I think I could get hurt, I feel scared.

Sometimes I just feel scared
and I don't know why!

Scared is a cold, tight feeling.

When I feel scared, I cry.
I want to run away, or hide.
I want someone to hold me.
I want to stop feeling scared!

Everyone's scared sometimes, even grownups.
It's not being a baby to be scared.
When I feel scared, I can do some things to
feel better. I can tell someone that I'm scared.

I can ask to be held. It helps to be held,
and to talk about what scares me.

I can cuddle with someone, with my
blanket or stuffed animal,

get in a cozy place, or look at
my favorite book.

Sometimes feeling scared keeps me safe.
I need to stay away from a dog that's growling.

I shouldn't climb too high,
play near cars, or go near fire.

Other times I don't need to be scared.
We can look under the bed to see what's there.

I can learn that the dark can be nice.

I can pet a friendly dog
when its owner says I can.

I see that when my mother goes away,
she comes back again.

When I feel scared, I can talk about it.
I can have someone hold me.
I can cuddle with my blanket or toy,

or find a cozy place.
I can find out that some things
aren't really scary.

When I feel scared, I know what to do!

作者介紹

康娜莉雅・史貝蔓（Cornelia Maude Spelman）

康娜莉雅・史貝蔓童書作品豐富，主題環繞著兒童的情緒和社會發展，透過故事，把情緒發展主題和孩子們實際的生活經驗相結合。老師和家長們對她的作品給予這樣的評價：「非常細膩、溫和、撫慰人心，而且充滿同情和同理心。」 康娜莉雅是家庭與兒童專業諮商師，曾任教於研究所，也針對兒童與家庭的心理健康議題做過數百場的演說。她的子女皆已成年，她則與丈夫住在伊利諾州。她不但從事圖畫書創作，還擔任反槍械婦女團體的義工。

幼兒情緒教育，從專業精采的繪本入門！

楊俐容 台灣芯福里情緒教育推廣協會理事長

「孩子不會表達情緒、動不動就大哭大鬧」一直都是幼兒家長和老師最頭痛的問題。事實上，孩子也不喜歡自己哭哭鬧鬧，然而，情緒感受是與生俱來、不需學習的反應，但負向情緒來襲時，要好好表達並且適當調節，卻得透過周遭大人溫暖的理解、有效的安撫以及有計畫的教導，才能慢慢發展出來。

從呱呱墜地那一刻起，孩子的生活就是由一連串的事件，以及這些事件所引發的情緒感受所組成。剛出生的寶寶情緒只能粗略的分為「愉快的」和「不愉快的」兩大類，隨著生活經驗的豐富，情緒也開始分化為更多類別。到了一歲半，寶寶已擁有相當豐富的情緒感受了，而學前階段的幼兒，隨著行動範圍與生活圈的擴大，情緒也越來越多變與複雜。譬如說，心愛的玩具壞了、小朋友不跟他玩，孩子自然會因失落而感到難過；又如，積木城堡一直蓋不好、玩得正開心遊戲時間卻要結束了，孩子又會因為目標受阻而覺得生氣。此外，害怕、擔心、忌妒，以及開心、舒服、得意……等愉快或不愉快的感受，也都是幼兒生活中常見的情緒。

情緒越來越多元是必然且可喜的發展趨勢，但要能了解自己與他人的情緒，進而掌握自己的情緒、與他人和善相處，卻需要刻意的教導與學習。因此，家長和老師必須幫助幼兒了解自己和別人的情緒感受是什麼，鼓勵幼兒適切的表達自己，以及適時的關懷別人。

幼兒階段是開始系統化學習情緒的最佳時期，孩子需要學會與生活經驗、情緒感受互相呼應的詞彙，讓語言跟上情緒的腳步，才能逐漸擁有覺察、辨識與為情緒命名的能力，也才能善用正向情緒、轉化負向情緒，將生活的多采多姿化為成長的養分。

不過，情緒無影無形、難以捉摸與界定，必須藉助具體的生活事件與生動的插畫圖像，以幼兒熟悉的故事模式來幫助他們理解當下的情緒感受與事件的來龍去脈。因此，具有理論基礎並能完整呈現情緒元素的精采繪本，就成為情緒教育的最佳媒介，這也是我要大力推薦「我的感覺」這套幼兒情緒教育入門書的原因。

　　作者選擇了幼兒生活中最常見的負向情緒：難過、害怕、生氣、嫉妒、擔心做為主題，並以幼兒能夠理解的淺語，說出幼兒不易覺察的情緒元素，包括身體線索、心理感受，以及引發這些情緒的生活事件等。讓幼兒在聆聽書中主角故事的同時產生情緒理解，知道原來別人也會這樣，有這些情緒是很正常的。而反覆出現的情緒詞彙，也讓幼兒逐漸熟悉並能運用這些詞彙來表達自己的情緒；一旦幼兒能夠使用語言來表達情緒，他們就擁有了一項效能強大的工具，可以和別人溝通彼此的情緒。

　　當幼兒能夠自在接納情緒感受並學會適切表達之後，作者又帶著幼兒與書中主角一起發現心裡有這些感受時，可以用什麼方法來調節情緒，讓自己覺得好受一點，甚至進一步探索解決問題的可能性。從理解情緒、管理情緒到解決問題，完整呈現情緒教育的三大步驟。

　　除了上述幾個基本的負向情緒，作者另外挑了三個幼兒生活中常見的人際情緒課題，包括處理分離焦慮的《我想念你》、提升自信自尊的《喜歡我自己》，以及促進同理關懷的《我會關心別人》。的確，情緒不只發生在自我之內，也發生在人我之間；自我EQ是基礎，人際EQ則更進一步的促成孩子情緒成熟，讓孩子的人際關係更上層樓，也因此更能享受和其他小朋友一起遊戲學習的校園生活。所有這一切，都為幼兒未來進入小學的適應，奠定了堅實的情緒基礎。

　　情緒成熟需要時間的醞釀，但沒有耕耘就不會有收穫；「我的感覺」為家長和老師準備了豐富的素材，但要成為孩子的情緒滋養，還需要大人的參與和陪伴。關切幼兒情緒教育的大人，可以善用書中文字的力量、具象的插圖，以及隨書提供的情緒遊戲卡，和孩子一起玩情緒，讓您的幼兒情緒教育，從這套專業精采的繪本入門！

情緒的學習是一生的功課，趁早開始吧！

周育如 清華大學幼教系副教授

　　在幼兒發展的領域中，情緒發展是個很特別的領域，它雖然也有生理及遺傳的基礎，但較之身體、語言或認知發展，情緒能力隨著年齡與成熟而進展的情況「格外不明顯」，反而受環境與教養的影響非常大。

　　年幼的孩子如果未經教導，不如意時就發脾氣或揮拳打人是很常見的舉動，但這種情況長大了就會改善嗎？那可不一定，我們隨處可見許多人終其一生都沒有學會好好管理自己的情緒，年紀再大、學歷再高，無法好好處理自己情緒的一樣大有人在！

　　在台灣的教育中，多少年來，我們對孩子成功的重視遠遠超過對孩子幸福的關切，因此我們很少花時間教孩子怎麼跟自己相處，怎麼跟別人相處。長期下來，不只父母面對孩子的情緒問題時不知如何處理，甚至父母本身也因為沒受過情緒教育，對自己情緒的理解和處理能力也非常有限。結果在親職教育上，我們不只有處理不完的亂發脾氣的孩子，還要安撫及重新教導與孩子相互糾結、挫折又生氣的父母。

　　在這種情況下，「我的感覺」系列重新改版上市是格外有意義的一件事，這套書已累銷超過50萬冊，見證了父母帶著孩子學習情緒的珍貴歷程。這套書有很多值得推薦之處，包括每個主題都是孩子最常經歷的情緒、內容完整涵蓋了情緒辨識、情緒表達和情緒調節等主要成分，以及文學性、文字的溫暖度與畫面處理兼具等，原本就是很適合父母與孩子分享及討論情緒的上乘之作；除了優質的文本以外，還加上了應用的教案和情緒遊戲卡，顯然有意再多幫父母老師一點忙。

談情緒從共讀開始

　　在閱讀這套書時，大人剛開始可以如同一般的繪本與孩子進行共讀，先帶著孩子了解內容，看看故事人物是如何辨認、理解與調節自己的情緒；然後，大人可以仿故事結構所提供的情緒內涵，延伸討論孩子自己的經驗，例如共讀《我好難過》時，可以問問孩子有沒有難過的時候？在什麼情況下會難過？難過的感覺為何？以及難過時要怎麼做才會好過一點？接著，如果孩子對這些議題很有感觸或願意投入，還可以利

用後面的教案和卡片和孩子玩一些情緒理解或敘說的遊戲，藉以增加孩子情緒語彙的質量、並提昇對情緒的敏銳度。

熟悉了這些內容和方法後，大人可以進一步混搭與應用。例如並不需要限於每本繪本的單一主題，而可以和孩子討論，在這些情緒中，他最常出現的是什麼情緒？很少經歷的又是什麼情緒？由於大人很容易把重點放在負面情緒的調節上，但除了教孩子處理負面情緒，許多時候更重要的其實是如何促進孩子正面的情緒，因此較全面的檢視是很有幫助的。此外，大人也可以從孩子平常的行為中去觀察，孩子發展得較好的是哪些方面？還需要再特別學習的是哪些方面？可以針對孩子特別需要補強的部分多一點的討論和練習。例如有的孩子還在學習用口語表達情緒，這時多一點情緒語彙的教導和情緒經驗敘說會很有幫助；有的孩子則是已經很會表達自己的情緒，但說完了卻仍很難接受安慰或自我調節，這時則可以多讓孩子想想情緒調節的方法，並透過角色扮演等方式來練習。

最後，這套書並不只適用於小小孩，而是在不同的年齡層可以有不同的應用。以情緒的調節策略為例，孩子很容易因為和父母分開而感到不安，但分離焦慮「可以被接受的表現」卻因年齡而異，當一個兩歲的孩子有分離焦慮時，我們可以接受並理解他的哭鬧和需要安撫；但如果一個六歲的孩子因為稍微和父母分開就大哭大鬧，可能會讓人難以接受。因此，孩子要學習的不只是自我情緒的覺察和表達，還需要理解社會的規則和期待，書中提供的內容只是例子，我們還可以和不同年齡的孩子討論，或許情緒感受本身都可以被接納，但當你遇到這樣的情況，什麼樣的表達對現在的你來說才是合適的？這種進一步的覺察和學習，對孩子長遠的發展來說將是更為重要的。

情緒的學習是一生的功課，越早開始，我們距離幸福人生就越近了一步。希望這套書成為大人和孩子一同探索情緒世界的美好開端！

一起面對害怕

曾仁美 諮商心理師

害怕是我們感受到危險的時候，自然會產生的強烈情緒反應。這種反應發生時，心理上通常會產生痛苦、脆弱的感覺，生理上則可能出現肌肉緊張、手腳發冷、呼吸急促、心跳加速，以及準備逃離現場等反應。令人感到害怕的人、事、物有些是具體、現實的，例如怕鬼、怕打雷，有些則是預期性、不具體的，例如怕黑、怕失敗等。孩子面對害怕的情緒反應經常是不知所措，身邊的大人不宜忽視，或讓孩子產生「害怕就是不勇敢」、「不可以覺得害怕」等迷思，反而應該協助孩子了解這些都是正常反應，進一步鼓勵孩子面對害怕的事物與害怕的感覺。

繪本閱讀的延伸討論

◆ 你覺得故事裡的小熊害怕什麼？小熊害怕突然很大聲（作惡夢／媽媽出去／從很高的溜滑梯下來會受傷），如果是你，你覺得怎麼樣？你也會覺得害怕嗎？

◆ 小熊害怕的時候，會哭、會跑掉或躲起來，或希望有人可以抱抱他；你害怕的時候會做什麼？

◆ 如果你很害怕、想躲起來，你會怎麼躲？最想躲在哪裡？

◆ 如果害怕時希望有人可以抱抱你，你希望找誰？會怎麼告訴他？

◆ 小熊覺得害怕的時候，除了要別人抱抱，還有什麼方法可以讓他比較舒服一點？如果是你，會用什麼方法？

◆ 你覺得如果所有的事情小熊都不害怕，是不是就代表他很厲害？他有沒有可能發生什麼危險？例如你覺得，若小熊看到一隻一直對他大叫的狗、在馬路上玩球、爬到很高的樹上，或想碰廚房瓦斯爐的開水時，如果他不害怕，可能會發生什麼事？你平常看到什麼東西或事情時，會因為害怕而特別小心？

親子延伸活動

◆ 「我……的時候，覺得很害怕！」：了解孩子害怕什麼，承認害怕的存在，也幫助孩子表達出來。幼兒的表達能力有限，爸爸媽媽可以協助他們將意思表達清楚，對年齡較大的孩子可以進一步討論「為何對某人／某物／某狀態感到害怕」，以及「你認識的人，誰也和你一樣怕某人／某物／某狀態」等。孩子表達時，爸爸媽媽必須注意，態度上不要讓孩子覺得對什麼東西感到害怕是可恥的事。

◆ 「你猜，你猜，我怕什麼？」：適合孩子和孩子、或孩子和爸爸媽媽一起玩。和爸爸媽媽一起玩，孩子可觀察或了解，其實不是只有小孩子才會怕，爸爸媽媽也有害怕的東西，例如爸爸怕蛇，孩子可能不怕，可沖淡孩子覺得「害怕」就代表比別人懦弱的迷思。

◆ 「害怕，不要躲！」：準備一些美勞用品等材料，讓孩子將害怕的感覺具體畫出來或做出來。製作過程中，大人可以在旁邊陪伴。害怕是主觀的感覺，不管孩子做什麼，都不需要特別指導或批評，只要注意他說的話或行動，用關心且願意了解的態度陪伴即可。如果孩子想談什麼，也可以陪他談談。

◆ 「害怕，我有話對你說！」：這個活動可以單獨進行或接在「害怕，不要躲！」之後進行。孩子描繪出「害怕」的具體樣貌後，也許爸爸媽媽可辨識出孩子害怕什麼，或可請孩子為害怕命名，然後讓孩子對著作品說出心中想說的話。例如，幼兒說：「害怕，你的名字叫做虎姑婆，你不乖！我要你罰站，請你不要再吃肉QQ的小孩了！」

◆ 「害怕，bye-bye！」：害怕時，你會做什麼？請做出動作：協助孩子想一想，面對害怕時，做什麼可以讓自己比較不害怕，藉著肢體動作的表達，讓孩子有如身歷其境的演練機會，也鼓勵孩子在需要的時候求助。表達時，孩子做任何動作都是可以被接納的，爸爸媽媽可先表達理解，再進一步和孩子討論，哪一個是他最喜歡、覺得最舒服又可行的方法。另外也可延續第四個活動，請孩子對代表「害怕」的作品做處置。例如將它關在垃圾桶或揉成一團弄碎等。

◆ 「害怕將軍說：『……危險，要小心！』」：請孩子選一個布偶或玩具代表「害怕將軍」，每次遇到危險的情境時，害怕將軍就會提醒自己「危險，要小心！」請孩子想一想，害怕將軍什麼時候會出來保護我們？這個活動主要促進孩子從另一個角度思考害怕的感覺對自己產生哪些保護，了解害怕的功能，打破害怕就是膽小鬼的迷思。

給父母和老師的叮嚀

　　有時候為了從新的處境裡學習，孩子必須忍受恐懼。輕視或否定他們的情緒，都於事無補。我們也許認為自己在說「沒什麼好怕」的時候，是在安撫孩子，其實這種回應反而會傷害他們，讓他們因為這種常見而且不可避免的情緒感到難為情。

　　孩子要能辨別自己的感覺，在他們向大人溝通這些感覺時，得到認可、了解和安慰，才能健全的發展。當孩子的感覺被忽略、否定，或對自己的情緒感到不安時，他們會孤單的在不愉快的情緒裡，而且無法學會在需要的時候求助。

　　我們不該淡化孩子的恐懼，反而要去承認它，並告訴孩子如何管理它。管理也要因時因地制宜。有時候，恐懼是適當的，因恐懼而來的行動會帶給孩子安全（遠離凶巴巴的狗）。有時候，恐懼是無來由的，我們可以藉由經歷恐懼的境況，幫助孩子探索恐懼（看看床下有什麼，或在黑暗中愉快的和孩子散步）。有時候，你必須忍受恐懼（就像打針），但我們可以經由與孩子身體和情緒的親密接觸，幫助他們忍受（和孩子說：「我在你身邊」。）

　　讓孩子知道，我們注意他們所有的感覺，不管是正面或是負面，所有的人，無論是大人或小孩，都會經歷這些感覺，而我們知道如何處理不愉快的情緒。我們要讓孩子建立自信，擁有處理這些問題的能力，讓他們可以說出：「害怕的時候，我知道怎麼辦！」

—— 康娜莉雅・史貝蔓

When I Feel Scared

by Cornelia Maude Spelman and illustrated by Kathy Parkinson

Text copyright © 2002 by Cornelia Maude Spelman

Illustrations copyright © 2002 by Kathy Parkinson

Published by arrangement with Albert Whitman & Company

through Bardon-Chinese Media Agency

Complex Chinese translation copyright © 2005

by CommonWealth Education Media and Publishing Co., Ltd.

ALL RIGHTS RESERVED

我的感覺系列 3

我好害怕

作者｜康娜莉雅‧史貝蔓　繪者｜凱西‧帕金森　譯者｜黃維明

責任編輯｜劉握瑜　美術設計｜林家蓁　行銷企劃｜高嘉吟

天下雜誌群創辦人｜殷允芃　董事長兼執行長｜何琦瑜

媒體暨產品事業群

總經理｜游玉雪　副總經理｜林彥傑　總編輯｜林欣靜

行銷總監｜林育菁　副總監｜蔡忠琦　版權主任｜何晨瑋、黃微真

出版者｜親子天下股份有限公司

地址｜台北市 104 建國北路一段 96 號 4 樓

電話｜（02）2509-2800　傳真｜（02）2509-2462　網址｜www.parenting.com.tw

讀者服務專線｜（02）2662-0332　週一～週五：09:00~17:30

讀者服務傳真｜（02）2662-6048　客服信箱｜parenting@cw.com.tw

法律顧問｜台英國際商務法律事務所‧羅明通律師

製版印刷｜中原造像股份有限公司

總經銷｜大和圖書有限公司　電話：（02）8990-2588

出版日期｜2005 年 9 月第一版第一次印行

　　　　　2018 年 2 月第三版第一次印行

　　　　　2024 年 6 月第三版第十二次印行

定價｜260 元　書號｜BKKP0208P　ISBN｜978-957-9095-14-3（精裝）

──────── 訂購服務 ────────

親子天下 Shopping｜shopping.parenting.com.tw

海外‧大量訂購｜parenting@cw.com.tw

書香花園｜台北市建國北路二段 6 巷 11 號　電話（02）2506-1635

劃撥帳號｜50331356 親子天下股份有限公司

立即購買 >